달팽이과학동화 · 감각

아이고 시끄러워

귀와 소리

글 · 보리 그림 · 최미숙

웅진출판주식회사

동물 마을에 도깨비 할아버지가 이사를 왔어요.
아기동물들이 우르르 몰려왔어요.
"꿀꿀꿀, 할아버지는 누구세요?"
"음머음머, 어디서 오셨어요?"
"삐악삐악, 우리랑 같이 살건가요?"
아기동물들은 조잘조잘 떠들어 댔어요.

"저리 가. 난 시끄러운 게 싫어!"
도깨비 할아버지가 소리를 꽥 질렀어요.
"아이쿠, 깜짝이야. 꿀꿀꿀꿀.
도망가자. 꽥꽥꽥꽥.
음머음머, 삐악삐악, 메에에에."
아기동물들은 깜짝 놀라서 달아났어요.

'호루루루, 삐익.'

학교 마당에서 호루라기 소리가 났어요.

'쿵짝쿵짝.'

북 소리도 났어요.

'뿡빠뿡빠.'

나팔 소리도 들렸어요.

"우리 편 이겨라."

"우리 편 이겨라."

학교 마당은 운동회를 하느라고 떠들썩했어요.

"아이고, 시끄러워."

도깨비 할아버지는 귀를 틀어막았어요.

'뚝딱뚝딱, 쾅쾅쾅.'

'들들들들, 쿵쾅쿵쾅.'

창문 밖에서 망치 소리, 기계 소리가 요란하게 났어요.

"아이쿠, 시끄러워."

도깨비 할아버지는 이불을 푹 뒤집어썼어요.

'빵빵빵, 뿡뿡뿡, 부릉부릉.
삐뽀삐뽀, 앵앵앵, 땡그랑땡그랑.'
온갖 차 소리들도 들려 왔어요.
"시끄러워서 못 살겠네."
도깨비 할아버지는 화가 머리 꼭대기까지 났어요.
"소리를 몽땅 없애 버릴 테야."
도깨비 할아버지는 도깨비항아리 뚜껑을 열었어요.
"하바하바, 소리소리, 옴냐옴냐, 뚝."
도깨비 할아버지가 주문을 외웠어요.

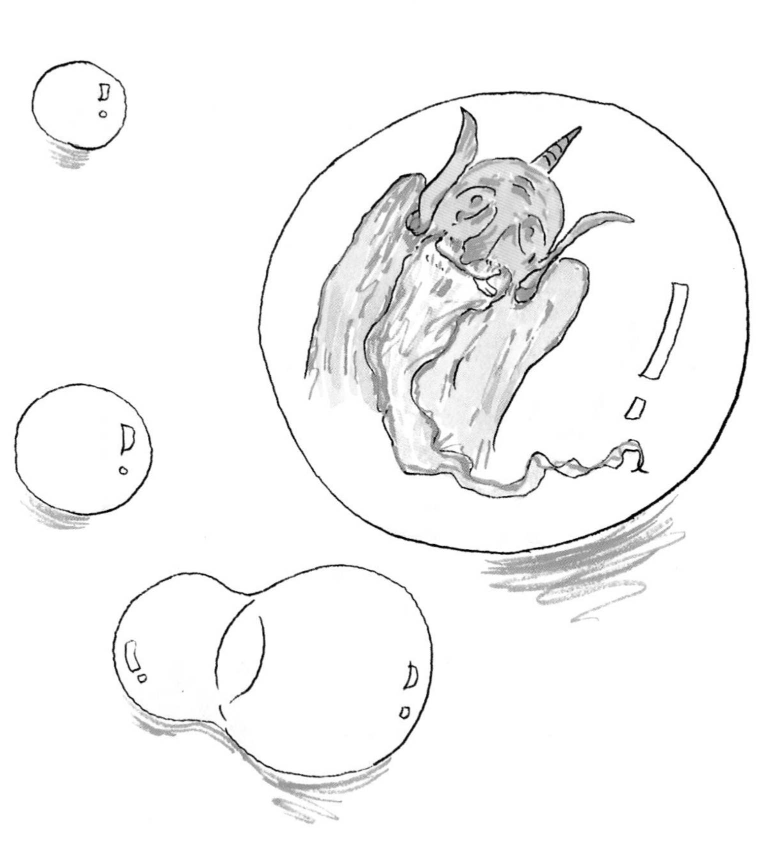

'쿵…….'

북 소리가 뚝 그쳤어요.

아무리 두들겨도 소리가 안 났어요.

'뿡…….'

나팔 소리도 끊어졌어요.

아무리 불어도 소리가 안 났어요.

"우리 편……."

"우리……."

학교 마당에서 들리던 소리가 모두 없어졌어요.

'빵빠…….

뿡뿌…….'

자동차 소리도 뚝 그쳤어요.

오리 아줌마 차는 막 골목길로 들어섰어요.

그 때 강아지가 공을 주우러 튀어나왔어요.

오리 아줌마는 깜짝 놀라서 경적을 울렸어요.

'빠…….'

소리는 나오다가 말았어요.

오리 아줌마는 부리나케 차를 멈췄어요.

암탉 아줌마는 빨래를 하느라고 물을 틀어 두었어요.

'콸콰…….'

물 소리가 나다가 뚝 그쳤어요.

암탉 아줌마는 물이 넘치는 것도 몰랐어요.

염소 아저씨네 집에는 우체부 아저씨가 찾아왔어요.

'딩도…….'

초인종 소리도 뚝 끊어졌어요.

아무리 눌러도 소용이 없었어요.

꿀꿀이네 집에 전화가 왔어요.

'때르…….'

전화 소리도 뚝 끊어졌어요.

동물 마을에는 아무 소리도 안 들렸어요.
바람 소리도 아기동물들 울음소리도 다 그쳤어요.
'소리가 없으니까 이렇게 좋은 걸 진작 없앨걸.'
도깨비 할아버지는 기분 좋게 잠이 들었어요.
그 때 도깨비 할아버지네 집에 도둑이 들었어요.
도둑은 담을 넘다가 된장독을 깨뜨렸어요.
도둑은 깜짝 놀라서 귀를 틀어막았어요.
그런데 된장독 깨지는 소리가 안 났어요.

도둑은 마음놓고 물건을 훔쳤어요.

도깨비항아리도 훔쳤어요.

도둑이 아무리 부스럭대도 아무 소리도 안 났어요.

도깨비 할아버지는 아무것도 모르고 잠만 잤어요.

그런데 도둑이 그만 도깨비항아리를 떨어뜨렸어요.

'쨍그랑!'

도깨비항아리가 깨져 버렸어요.

'꿀꿀꿀, 음매음매, 메에에에,

빵빵빵, 쾅쾅쾅, 때르르릉, 괄괄괄.

쿵쾅쿵쾅, 뿡빠뿡빠.'

온갖 소리들이 다 쏟아져 나왔어요.

도깨비 할아버지는 깜짝 놀라서 벌떡 일어났어요.

도둑은 자루를 둘러메고 달아났어요.

"소리를 들었으면 도둑을 잡았을 텐데.

아이고, 이를 어쩌나."

도깨비 할아버지는 땅을 치면서 울었어요.

동물 마을은 다시 소리로 가득 찼어요.

소리가 없으면 어떻게 될까요?

소리는 어떻게 날까요?

사람들은 언제나 소리를 듣고 살아요. 말하는 소리, 바람 부는 소리, 비가 오는 소리, 악기 소리, 자동차 소리 들을 들으면서 살아가지요. 그런데 이런 소리들은 어떻게 날까요? 소리는 물체가 빠르게 떨면서 공기를 흔들 때 난답니다. 벌이 날 때 '붕붕' 하고 소리가 나는 것은 날개짓을 빨리 해서 공기가 떨리기 때문이지요. 그래서 공기가 없는 달에서는 아무리 크게 소리쳐도 소리가 안 난답니다.

메아리는 어떻게 생겨날까요?

같은 소리라도 장소에 따라서 다르게 들리기도 해요. 기차가 굴 속으로 들어가면 기차 소리가 더 커져요. 소리가 굴 천장에 부딪혀서 되돌아오기 때문이랍니다. 산에 올라가서 소리를 지르면 메아리가 되돌아와요. 메아리는 처음 낸 소리가 건너편 산에 부딪혀서 되돌아오는 소리랍니다. 때로는 작은 메아리 하나가 눈사태를 일으키기도 해요.

소리가 없다면 어떻게 될까요?

소리가 없다면 동무랑 얘기도 할 수 없을 거예요. 또 아기가 배가 고파서 울더라도 엄마는 울음소리를 들을 수 없을 거예요. 자동차가 뒤에서 달려오는데도 아무 소리도 안 난다면 어떻게 될까요? 불자동차나 병원차가 길을 비키라고 경적을 울려 대도 아무도 못 알아들을 거예요. 이렇게 소리가 없으면 불편한 일도 많고 위험한 일도 많이 생기겠지요. 그래서 우리가 살아가는 데 소리는 꼭 필요하지요.

동물은 어떻게 소리를 들을까요?

소리는 동물들에게도 꼭 필요하답니다. 적이 다가오는 소리를 듣고 달아나야 하니까요. 토끼는 커다란 귀로 작은 소리도 알아듣고 달아나지요. 여치나 귀뚜라미는 다리에 사람들의 귀와 같은 고막기가 있어서

집안에서는 어떤 소리가 날까요?
주전자에서 물이 끓는 소리, 물이 흐르는 소리, 전화 소리, 그릇끼리 부딪치는 소리…… 온갖 소리가 나지요.

악기에서는 어떤 소리가 날까요?
둥둥둥 북치는 소리, 덩기덕 쿵덕 장구 소리, 깨갱깽 꽹과리 소리, 징소리…… 저마다 다른 소리가 나지요.

숲 속에서는 어떤 소리가 날까요?
동물들은 짝을 부르거나 적이 오는 것을 알리려고 온갖 소리를 내요.
토끼는 뒷다리를 굴려서 적이 오는 것을 알리지요.

길거리에서는 어떤 소리가 날까요?
삐뽀삐뽀 병원차가 내는 소리, 찌르릉 자전거 소리, 빵빵 자동차 소리, 땡땡땡 건널목의 종소리 온갖 소리가 나지요.

소리를 들을 수 있어요. 또 박쥐는 초음파를 내서 먹이를 찾고 적을 알아 낸답니다. 박쥐는 어두운 곳에서 살기 때문에 눈이 안 좋아요. 그 대신 입이나 코로 매우 높은 소리를 내지요. 이것을 초음파라고 해요. 초음파가 먹이의 몸에 부딪혀서 되돌아오면 박쥐는 귀로 그 소리를 듣고 어디쯤에 어떤 먹이가 있는지 알아 낸답니다. 돌고래도 박쥐처럼 초음파를 내지요.

소리를 어떻게 이용할까요?

사람들은 초음파를 들을 수 없지만 초음파를 낼 수 있는 기계를 만들었지요. 이 기계로 물고기가 어디에 많이 있는지 알아 내지요. 또 초음파로 먼지를 떨어 내서 한 군데 모으기도 해요. 이뿐만 아니라 전기로 소리를 내서 물 속의 깊이를 재기도 하고 물고기를 불러모으기도 하지요. 어떤 물체가 가까이 오는지 알아 내는 레이더도 소리를 이용한 기계랍니다.

시끄러운 소리는 얼마나 해로울까요?

우리 둘레에는 듣기 좋은 소리도 많지만 건강을 해치는 시끄러운 소리도 많아요. 지나치게 '빵빵' 거리는 자동차 소리, 비행기가 뜨고 내릴 때 나는 소리, 공장에서 나는 기계 소리 들이지요. 시끄러운 소리를 오랫동안 들으면 사람들의 귀는 점점 소리를 듣는 힘을 잃어버린답니다. 심지어 귀가 멀어 버리기도 해요. 그러면 꼭 들어야 할 소리도 못 듣게 되지요. 그러니까 너무 시끄러운 소리를 오래 듣지 않도록 해야 해요.

그린이 · 최미숙

최미숙 님은 1963년 충남 대덕에서 태어났습니다.
홍익대학교에서 서양화를 전공했습니다.
그 동안 '좁은 문', '한여름 밤의 꿈' 등
청소년을 위한 책에 그림을 그렸습니다.

글쓴이 · 보리

보리는 좋은 책을 만들려는 사람들이
모여서 이룬 공동체입니다.
보리는 아이들을 위한 책이나
교육에 관련된 책들을 기획하고, 편집합니다.
그 동안 지은 책으로는
웅진출판주식회사에서 펴낸
올챙이 그림책 60권이 있습니다.

달팽이 과학동화 49 아이고 시끄러워

펴낸이 · 백석기/펴낸데 · 웅진출판주식회사 서울특별시 종로구 인의동 112-1/편집국 편집개발부 · 762-9358,766-6563/출판등록 · 1980.3.29 제 1-352/분해제판 · (주)그래픽아트/박은곳 · (주)고려서적/박은날 · 1996년 11월 9일 초판 14쇄/펴낸날 · 1996년 11월 20일 초판 14쇄 /편집기획 · 윤구병/글 · 보리/그림 · 최미숙/사실화 · 최미숙/편집책임 · 차광주/편집 · 강순옥, 김마리, 김용란, 심조원, 유문숙, 이춘환/미술 · 이효재, 끄레디자인서비시스/값5,000원 ©1994 보리

ISBN 89-01-00971-4
ISBN 89-01-00922-6(세트)